D0708615

roman bleu

Dominique et Compagnie

Sous la direction de

Agnès Huguet

Martine Latulippe

Lorian Loubier
Vive les mariés !

Illustrations
Bruno St-Aubin

**Catalogage avant publication
de Bibliothèque et Archives
nationales du Québec et
Bibliothèque et Archives Canada**

Latulippe, Martine, 1971-
Lorian Loubier – Vive les mariés!
(Roman bleu; 17)
Pour les jeunes de 10 ans et plus.

ISBN 978-2-89512-694-2
I. St-Aubin, Bruno. II. Titre.
III. Collection

PS8573.A781L673 2008 jC843'.54 C2007-942336-1
PS9573.A781L673 2008

© Les éditions Héritage inc. 2008
Tous droits réservés
Dépôts légaux: 3e trimestre 2008
Bibliothèque et Archives nationales
du Québec
Bibliothèque nationale du Canada
Bibliothèque nationale de France

ISBN 978-2-89512-694-2
Imprimé au Canada

10 9 8 7 6 5 4 3 2 1

Direction de la collection:
Agnès Huguet
Conception graphique:
Primeau & Barey
Révision et correction:
Corinne Kraschewski

Dominique et compagnie
300, rue Arran
Saint-Lambert (Québec)
J4R 1K5 Canada
Téléphone: 514 875-0327
Télécopieur: 450 672-5448
Courriel:
dominiqueetcie@editionsheritage.com
Site Internet:
www.dominiqueetcompagnie.com

Nous remercions le Conseil des Arts
du Canada de l'aide accordée à notre
programme de publication. Nous reconnaissons l'aide financière du gouvernement du Canada par l'entremise du
Programme d'aide au développement
de l'industrie de l'édition (PADIÉ) pour
nos activités d'édition.

Nous reconnaissons l'aide financière du
gouvernement du Québec par l'entremise du Programme de crédit d'impôt
pour l'édition de livres – SODEC – et du
Programme d'aide aux entreprises du
livre et de l'édition spécialisée.

À Coralie, ma filleule

Chapitre 1

« Six heures du matin. J'ai à peine une heure de répit avant que la voix suraiguë de mon affreuse belle-mère résonne. Moi, Lorian Loubier, je suis à quatre pattes sur le sol de la salle de bain, en train de frotter les carreaux de céramique un à un avec une brosse à dents… Pas parce que c'est ma nouvelle mission de superhéros. Non. Pas parce que j'ai toujours rêvé de laver le plancher à la brosse à dents. Non, non. Pas parce que je suis serviable et gentil. Non, non, non. (Bon, disons-le tout de même, je *suis* serviable et gentil, mais pas au point de me livrer à de pareilles activités à six heures, six petites heures, du matin.)

Je frotte ainsi parce que j'y suis obligé. Contraint. Depuis que mon père s'est remarié, je suis devenu un esclave dans cette maison… Ma vie est un cauchemar. Je n'arrive pas à croire qu'il m'ait annoncé cette nouvelle tout bonnement, à notre retour de vacances : "Au fait, Lorian, j'allais oublier : je voulais te dire quelque chose… Imagine-toi donc que Sarah et moi, nous allons nous marier à l'automne." Quel choc ! Mais assez rêvassé ! Pas de temps à perdre avec ce douloureux souvenir. Je dois vite terminer la salle de bain pour aller préparer le déjeuner. Si, à sept heures très précisément, le déjeuner de ma belle-mère et celui de ma méchante demi-sœur, Zoé, ne sont pas sur la table, je suis privé de repas pendant toute la journée… Et mon père qui ne croit rien de ce que je lui raconte ! Quelle vie…

Il est maintenant sept heures. Pas une seconde de moins, pas une de plus. Zoé et sa mère arrivent à la cuisine. Comme d'habitude, toutes deux ont des bigoudis dans les cheveux. Comme d'habitude, toutes deux s'assoient à la table sans lever le petit doigt et attendent de se faire servir. Comme d'habitude, aucune ne juge bon de me dire bonjour. Je dépose du pain grillé devant elles. La voix stridente de Zoé perce le silence matinal :

– Encore ! Regarde ça, maman ! C'est tout noir ! Je déteste le pain trop grillé ! Combien de fois dois-je le répéter ?

Elle grimace de dégoût. Ma belle-mère me lance un regard furieux. Je n'arrive pas à croire que j'ai déjà trouvé Zoé belle. Elle est franchement mauvaise. C'est la pire personne que je connaisse – après sa mère, bien sûr. C'est la pire fille de la ville, en tout cas. Et même du pays. Probablement

aussi du continent. Pourquoi pas de la planète ?

– Tu ne comprends rien à rien, Lorian ? Ma fille n'aime pas que son pain soit trop grillé, c'est clair ? Tu ne seras jamais comme les autres, pauvre garçon. Et puis, ce prénom… Lorian ! Franchement !

Un sourire torve déforme ses lèvres.

– Il me vient une idée, Zoé… Et si on lui donnait plutôt un surnom ? On pourrait l'appeler Cendrillon ! Qu'en dis-tu ?

Les yeux de ma demi-sœur brillent méchamment. Elle siffle :

– Cendrillon, c'est pour une fille… Je l'appellerais plutôt… Cendrier !

Toutes deux se mettent à ricaner comme des hyènes. Je pousse un profond soupir. Ça ne finira donc jamais ? Quel enfer !

– Cendrier ? CENDRIER !!! hurle ma

belle-mère. Sors de tes rêveries. Je n'ai plus de café, dépêche-toi de remplir ma tasse !

Après, je dois presser des oranges, remplir un verre de jus pour Zoé, griller du pain sans le brûler, faire la vaisselle… Tout à coup, Zoé crie :

– Cendrier ! CENDRIER ! ! ! On sonne à la porte. Réveille !

J'entends aussi ma belle-mère grogner :

– Incroyable, il faut tout lui dire ! Qu'il est bête !

Je me dirige tristement vers la porte d'entrée. J'ouvre et découvre un garçon richement vêtu, qui s'incline devant moi. C'est un page du royaume.

– Bonjour ! Le prince m'envoie.

Je bredouille :

– Le… le… le prince ?

Il hoche la tête et dit d'un ton très,

très, très poli en me tendant une boîte rectangulaire :

– Le prince vous demande de bien vouloir essayer cette pantoufle.

Ahuri, je regarde dans la boîte. Une pantoufle de vair repose joliment sur du velours rouge. Le page me regarde d'un air encourageant :

– Permettez que je prenne entre mes mains votre petit pied ?

Je réponds :

– Mais… je… pff… mon… par… pardon… mon… mon… mon-petit-pied ?

Visiblement, le page vient de la même planète que moi, car il ne semble pas surpris le moins du monde par mon langage. Il se contente de répondre plaisamment :

– Mais oui, votre petit pied, dans la petite pantoufle.

Je deviens fou. C'est sûrement ma méchante belle-mère qui me fait perdre la tête. »

–Lorian ! LORIAN !

Une voix me fait sursauter. Pas celle de Sarah. C'est mon père, derrière moi, qui se penche par-dessus mon épaule et s'exclame :

–Lorian ! Peux-tu m'expliquer cette histoire de méchante belle-mère ?

Mal à l'aise, je murmure :

–C'est de… de la fiction, papa. Rien de tout ça n'est vrai, bien sûr.

Il ne semble pas rassuré. Pas très content non plus, je dois dire.

–Tu écris un roman ?

–Euh… pas tout à fait.

–Un conte ?

–Non plus… En fait, je suis en train de faire une composition pour mon cours de français.

Papa me regarde d'un air perplexe.

– Quel est le sujet du texte que tu dois écrire ?

Je baisse les yeux et grommelle :

– Le sujet ? C'est… « Comment vous voyez-vous dans cinq ans ? Imaginez quelle sera votre vie. »

Le regard de papa est devenu carrément inquiet.

– Lorian, enfin, tu sais bien que Sarah ne ferait pas de mal à une mouche !

Je hoche la tête, pas trop convaincu, quand même.

– Il reste à peine un mois avant notre mariage, Lorian, et j'ai besoin de ton soutien. Tout se passera bien, tu verras. On sera heureux tous ensemble. Et Sarah est tellement adorable ! Franchement… Quelle idée d'imaginer des choses pareilles !

Mon père secoue la tête, découragé,

et quitte la pièce. Je ne peux m'empêcher de grogner :

– La belle-mère de Cendrillon aussi
était sûrement adorable avant le mariage. C'est après que ça se gâte…

Chapitre 2

Ce matin, en ouvrant les yeux, la première chose à laquelle je pense est que je n'y échapperai pas. J'aurai encore droit à une conversation du genre « Lorian, j'ai bien réfléchi. J'en suis venu à la conclusion que et je te propose que… » Chaque fois que mon père et moi avons une discussion, une dispute ou un simple malentendu, je subis ce couplet. Ça ne manque pas. Et comme hier, après avoir lu quelques lignes à peine de mon travail de français, mon père n'a pas cessé de me jeter des regards nerveux toute la soirée, je devine que j'y aurai droit.

Quand j'arrive à la cuisine, papa y est déjà, tout habillé, un café à la main, l'air songeur. Je le salue en bâillant. Il me répond :

– Bonjour, Lorian. Écoute, j'ai bien réfléchi à ton travail d'hier…

(Quelle surprise !)

– … et j'en suis venu à la conclusion que…

(Je le savais !)

– … je dois t'impliquer davantage dans notre projet de mariage. Nous avons toujours vécu seuls, toi et moi, et tu te sens peut-être exclu parce que, soudain, je décide que Sarah viendra vivre avec nous.

(Il manque quelque chose, non ?)

– Après y avoir beaucoup pensé, je te propose donc…

(Ah ! nous y voilà !)

– … de participer un peu plus aux préparatifs. D'abord, pour que tu saches que ce mariage te concerne aussi, ensuite parce que ça nous donnera un bon coup de main. Les noces sont dans quatre semaines à peine, et rien n'est encore fait.

Et voilà. Sarah n'est même pas installée à la maison, et déjà je suis obligé de travailler pour elle et mon père ! J'attends la suite. Que veut-il de moi ? Que je décore l'église ? Que j'écrive un discours ? Que je choisisse les robes des demoiselles d'honneur ? Et puis quoi encore ! Papa continue :

– Aujourd'hui, je voulais poster les invitations pour le mariage. Il y en a une vingtaine environ. Ce sera une cérémonie assez intime. Les cartes doivent absolument partir dans la journée pour que les invités les reçoivent dans trois jours au plus tard et aient le temps de confirmer leur présence. Tu crois que tu pourrais faire ça pour moi ?

– Poster une vingtaine d'invitations, tu veux dire ?

Papa fait oui de la tête avec enthousiasme, comme s'il me proposait d'aller visiter Disneyland, de partir vers Mars en fusée ou de réaliser une mission excitante au plus haut point. Je hausse les épaules.

– Bien sûr que je peux faire ça.

– Merci, Lorian ! dit mon père, d'un ton beaucoup trop enjoué pour être naturel.

Puis il me regarde d'un air plus grave, ses yeux fixés dans les miens. Posant sa main sur mon bras, il déclare d'un air solennel :

– Je suis content de pouvoir compter sur toi.

Non mais je rêve ! On dirait le roi Arthur adoubant un chevalier qui part pour la guerre… On pourrait peut-être se calmer un peu ! Il ne s'agit tout de même que de mettre quelques enveloppes à la poste. Il ne faudrait pas exagérer. Papa ajoute finalement :

– Les enveloppes sont sur la petite table du salon, les timbres dans le secrétaire. Merci encore !

Il sort de la cuisine. J'hésite entre sourire et soupirer : mon père n'est pas très subtil dans ses techniques de renforcement positif ! Moqueur, je marmonne pour moi-même :

– Mange bien, Super-Lorian. Prends des forces, tu en auras besoin : une importante mission t'attend !

• • •

En compagnie de ma meilleure amie, Mégane, je marche d'un bon pas vers la boîte aux lettres la plus proche de l'école. Je tiens les vingt invitations de mon père bien fort dans ma main. Quand j'ai ouvert la porte pour quitter la maison, ce matin, papa n'a pas pu s'empêcher de me crier de la salle de bain :

— N'oublie pas les cartes, Lorian ! Et un gros merci.

Je raconte en riant à Mégane comment mon père a décidé de m'impliquer dans son projet de mariage.

— De toute façon, intervient-elle, je comprends mal tes appréhensions. Je ne vois pas ce qui pourrait te déplaire dans cette idée. Sarah est vraiment gentille, non ?

Je revois en une fraction de seconde la méchante belle-mère de ma composition de français, mais cette image est vite remplacée par la vraie Sarah, toujours souriante et agréable.

– Je ne suis pas contre le fait qu'ils se marient. C'est juste que… que…

Je me tais. Je n'arrive pas à trouver les mots. Mégane suggère doucement :

– Que tu as un peu peur que tout change ?

C'est le problème quand on a une meilleure amie qui nous connaît très bien. Elle devine tout.

– C'est sûr que les choses vont changer, Lorian, mais sûrement pour le mieux. Regarde comme ton père est heureux ! Je ne l'ai jamais vu si rayonnant !

Elle a raison, je dois l'admettre.

– Et puis, Sarah et toi vous entendez vraiment bien, il n'y a aucun risque que ce soit différent après le mariage.

Elle a encore raison, je l'avoue.

– Honnêtement, je ne vois pas ce qui pourrait t'inquiéter.

Là, elle n'a pas raison du tout.

– Tu oublies quelque chose, Mégane.

– Quoi ?

– Zoé.

– Quoi, Zoé ?

Je soupire :

– Elle viendra vivre chez nous.

– Une semaine sur deux, Lorian. Et Zoé est si sympathique ! Ce n'est pas comme si une peste s'installait chez toi !

Dans ma tête, je revois Zoé ricanant et suggérant de m'appeler Cendrier. Puis je repense aux belles discussions que j'ai eues avec elle dans la vraie vie, à mes nombreuses rêveries sur Zoé – avant que je rencontre Élodie, qui est, finalement, la plus belle fille du monde, de l'Univers, et même de la Voie lactée ! Soudain, j'ai presque honte de ma composition…

– En plus, conclut Mégane, tu m'as toujours dit que tu aurais aimé avoir une sœur. Vois-le comme ton rêve qui se réalise.

Touché ! Chère Wonder-Mégane ! Comment fait-elle pour avoir toujours raison ? Je réponds doucement :

– C'est vrai, mais… je n'ai plus tellement besoin d'une sœur, maintenant.
Je t'ai, toi.

Ma meilleure amie sourit sans répondre, mais elle devient aussi rouge
que la boîte aux lettres devant laquelle
nous arrivons. Un homme vêtu d'un
uniforme de facteur est en train de vi-
der la boîte de son contenu. Il se tourne
vers nous. En apercevant les enveloppes dans ma main, il me dit :

– Donne-moi tes lettres, je les met-
trai directement dans mon sac.

J'hésite. C'est gentil de me le pro-
poser, oui, mais cet homme a quelque
chose dans le regard qui me déplaît.
Il me fait penser à quelqu'un, mais à
qui ? Au travail, Super-Lorian ! En une
fraction de seconde, je fais fonctionner
mon cerveau à toute allure et je trouve :
il ressemble comme deux gouttes d'eau

au Docteur Octopus. Le méchant dans *Spider-Man.* Je frémis. Je resserre encore plus ma main sur les précieuses invitations de mon père.

–Non, merci. Je vais attendre que vous ayez terminé.

L'homme hausse les sourcils, étonné. À mes côtés, Mégane me regarde d'un air encore plus surpris. Elle chuchote:

–Voyons, Lorian! Donne-lui tes lettres! Tu vois bien que c'est un facteur…

Je suis un peu déçu. Quoi? Mon acolyte, qui connaît l'univers des super-héros aussi bien, sinon mieux, que moi-même, n'a pas vu à quel point cet homme ressemble au Docteur Octopus? Il a peut-être utilisé un philtre magique pour la berner? Reste attentif, Super-Lorian, mets tes sens en éveil! Il y a quelque chose de louche dans l'air.

Docteur Facteur fait mine de continuer son travail, sûrement pour nous berner. Il ne sait pas à qui il a affaire. Enfin, il referme la boîte aux lettres et me montre son sac rempli de courrier.

– Tu es sûr que tu ne changes pas d'idée ? Tu ne veux pas me les donner ? Elles partiront aujourd'hui plutôt que demain.

Ah ! l'individu est rusé ! Il tente de me faire céder en utilisant cet argument. Je dois l'avouer : j'ai un petit moment de faiblesse. J'hésite une seconde ou deux. Je repense à mon père, qui voulait que les invitations soient postées rapidement. Mais je repense surtout au fait qu'il voulait que les cartes se rendent à bon port à tout prix. Docteur Facteur a beau jouer les bons gars, je sens que ce que je lui donnerais ne serait pas en sécurité. J'ai promis de remplir ma mission, je le ferai. Super-Lorian ne flanchera pas. C'est bien mal le connaître que de penser le contraire. Je plante mon regard dans celui de Docteur Facteur et je fais non de la tête le plus sombrement du monde. Mon adversaire feint l'indifférence, arbore la mine de celui qui n'en a rien à faire. Il hausse les épaules et s'éloigne en me jetant un dernier regard sournois. Derrière moi, la petite Mégane soupire.

—Lorian… qu'est-ce que tu as contre ce facteur ? Tu aurais dû lui donner tes lettres, franchement !

D'une main ferme, je jette mes enveloppes dans la boîte et je me souris à moi-même. Pauvre Mégane ! Quelle confiance naïve elle a en ce monde ! On comprend bien pourquoi on dit toujours que je suis Batman alors qu'elle s'identifie plutôt à Robin… Elle demeure mon assistante. Wonder-Mégane a beau être un aspirant superhéros, ses facultés pour détecter les méchants ne sont pas encore tout à fait au point.

Ma mission est accomplie, les lettres sont postées. Notre heure de dîner tire à sa fin. Je change de sujet et reprends le chemin de l'école, un peu inquiet tout de même : j'espère que Docteur Facteur est vraiment parti et qu'il ne rôde pas dans les environs, n'attendant que mon départ pour s'emparer de mon courrier.

Chapitre 3

Mon père raccroche le téléphone. Pas besoin de lui demander qui appelait. C'est Sarah. Elle a téléphoné huit fois depuis ce matin. Sept jours que les invitations sont postées, et personne n'a appelé pour confirmer sa présence. Pas un ami, pas un cousin, pas un collègue. Absolument personne. La noce sera peut-être encore plus intime que papa et Sarah le croyaient… Mon père me lance un regard soupçonneux. Pour la troisième fois de la journée (et la dix-neuvième fois de la semaine), il me demande :

—Lorian, tu es sûr que tu as posté les invitations ?

Pour la troisième fois de la journée (et la dix-neuvième fois de la semaine), je réponds :

—Oui, papa. Aucun doute possible.

—Tu en es bel et bien certain ?

—Oui, papa. Absolument certain.

—Tu n'aurais pas pu oublier de le faire, par hasard ?

—Non, papa. J'ai même un témoin. Mégane était avec moi quand j'ai mis les lettres dans la boîte. Tu veux que je l'appelle pour qu'elle vienne confirmer mon alibi à la cour ?

Papa soupire d'un air agacé.

—Personne ne t'accuse de rien, Lorian. J'ai juste du mal à comprendre…

Je lève la main droite dans les airs et dis :

—Moi, Lorian Loubier, douze ans,

presque treize, je jure que j'ai posté toutes les invitations lundi dernier.

Le téléphone sonne et met fin à notre discussion. Qui est à l'appareil ? Quelle surprise ! C'est Sarah ! J'aurai bientôt droit à un vingtième interrogatoire…

• • •

Je reviens de l'école d'un pas traînant. Je suis fatigué. Crevé. Épuisé. Lessivé. Je ne dors plus. On est lundi et, depuis quelques jours, je ne passe que des nuits blanches. Quand je réussis à m'endormir quelques minutes, je rêve au Docteur Facteur. Dès que je ferme les yeux, je le vois s'approcher de la boîte aux lettres dans laquelle je viens de jeter les enveloppes. Un sourire sadique sur les lèvres, il l'ouvre en ricanant, prend toutes mes invitations et les jette à la poubelle. Dans un autre de mes cauchemars, il brûle les enveloppes une à une. Dans un autre encore, il les déchire en minuscules morceaux et les lance dans une rivière. Tu t'es bien fait avoir, Super-Lorian ! Toi qui croyais avoir déjoué Docteur Facteur… Il est vraiment fort. Il faudra pourtant bien que je retrouve le sommeil. L'école a commencé il y a deux semaines à peine et déjà je cogne des clous sans arrêt pendant mes cours.

J'approche de la maison. La voiture de mon père est stationnée dans l'entrée. Je jette un œil fatigué à la boîte aux lettres accrochée au mur et… ô merveille ! Je sens que je retrouverai enfin des nuits calmes et paisibles ! Plus de cauchemars, plus de Docteur Facteur ! Ah ! ah ! Je t'ai eu, vilain ! Qui osera encore braver Super-Lorian ? !

Ravi, arborant un immense sourire, j'avance vers la boîte en faisant des moulinets avec mes bras comme si je me battais contre un méchant invisible. Je m'arrête en voyant que les deux voisins d'en face me regardent d'un air vaguement inquiet… Je les salue et prends d'une main leste les enveloppes blanches qui dépassent de la boîte aux lettres. Il y en a tant que le couvercle ne ferme plus! Les réponses pour le mariage, bien sûr! Elles ont mis du temps à arriver simplement parce que tout le monde a décidé de répondre par courrier. Soulagé, les mains pleines d'enveloppes blanches, j'entre dans la maison et crie:

– Devine qui aura plein d'invités à ses noces?

Papa arrive rapidement dans le vestibule, intrigué.

– Quelqu'un a enfin appelé pour confirmer?

Je lance avec enthousiasme:

– Encore mieux! Tout le monde t'a répondu par écrit!

– Mais… mais on demandait de répondre par téléphone ou par courriel, puisqu'on était à la dernière minute…, dit papa en se grattant le front, l'air perplexe.

Soudain, il s'exclame, en m'arrachant la pile d'enveloppes des mains :

– Attends un peu ! Ce ne sont pas des réponses… Ce sont… ce sont nos invitations !

Papa semble complètement paniqué. Je comprends enfin en voyant la note imprimée sur chaque enveloppe : « Affranchissement insuffisant ». Et pour cause : aucune des enveloppes ne porte de timbre ! Catastrophe ! J'ai dû partir si vite lundi dernier que j'ai pris les enveloppes, mais j'ai oublié les timbres dans le secrétaire…

Ouille, ouille, ouille ! La tempête va éclater, c'est certain. Pour l'instant, mon père est bouche bée. Il regarde toutes ses invitations, qui sont de retour à la case départ, sans réagir. Sauve-toi, Super-Lorian ! Vite ! Il en va peut-être de ta vie ! Je fais quelques pas vers ma chambre en essayant de faire le moins de bruit possible. Des pensées se bousculent dans ma tête. Et si Docteur Facteur avait pris les lettres pour enlever les timbres un à un ? Mon père risque-t-il de croire à une pareille histoire ? Une petite voix dans ma tête me souffle que non… Et pour être honnête, je n'ai aucun souvenir d'avoir collé des timbres sur les enveloppes. J'ai bien peur d'être le seul coupable… Avant que j'aie pu quitter le vestibule, la voix de mon père retentit, si forte qu'elle me fait sursauter :

— LORIAN LOUBIER ! Viens ici tout de suite !

La tête basse, je reviens sur mes pas pour affronter papa. Cette fois, l'accusé n'a rien à dire pour sa défense. Ma cause est perdue d'avance.

Chapitre 4

Je me dépêche d'engloutir ce qui reste de mon pain. J'ai exactement sept minutes vingt-huit secondes pour me brosser les dents, prendre ce qu'il faut pour mon dîner dans le réfrigérateur et courir à l'arrêt d'autobus. Dès que mon père entre dans la cuisine, je sais que je n'y arriverai pas. Il a son air de grand philosophe décidé à avoir une conversation. Ça y est ; j'aurai droit à une autre séance de « Lorian, j'ai bien réfléchi. J'en suis venu à la conclusion que et je te propose que… »

– Lorian, commence mon père, j'ai bien réfléchi…

(Hé, hé! Qu'est-ce que je disais?)

– … et j'en suis venu à la conclusion que j'ai été trop dur avec toi hier. J'aurais dû mettre les timbres moi-même, ce n'était pas à toi d'y penser. Je suis désolé.

(Je le connais bien, pas vrai? Mais j'avoue que je n'avais pas vu venir le coup des regrets!)

Papa reste silencieux un petit instant. Oui? Ensuite? Il n'a rien à ajouter?

– Je te propose donc…

(Ah! quand même!)

– … de poster de nouveau les invitations que j'ai préparées, avec des timbres, cette fois.

En une fraction de seconde, je pense au Docteur Facteur, aux émotions et aux cauchemars de la dernière semaine, et je prends ma décision sans hésiter :

– Non, merci de ta confiance, papa, mais j'aime autant que tu le fasses toi-même. Et puis je dois filer au plus vite, sinon je serai en retard.

J'attrape rapidement des restants du souper d'hier dans le réfrigérateur. Tant pis pour le brossage de dents, il me reste une minute dix-neuf secondes pour me rendre à l'arrêt d'autobus.

Je sors de la maison en courant. J'attrape le bus de justesse et vais m'asseoir aux côtés de Mégane. Dès que je suis assis, ma copine déclare :

– Tu sais, Lorian, j'ai bien réfléchi…

C'est pas vrai ! C'est un complot ou quoi ? Qu'est-ce que tout le monde a à réfléchir autant, ce matin ?

– … et je crois que tu devrais te décider aujourd'hui.

– Me décider à quoi ?

– À inviter Élodie, voyons ! Plus tu attends, plus elle pourra croire que tu l'invites parce que tu n'as trouvé personne d'autre.

Je rougis. Je blêmis. Je verdis. Quoi ? ! Inviter Élodie aujourd'hui ? Hier, après avoir appris que Zoé (qui est jolie, c'est vrai, mais pas autant qu'Élodie, bien entendu) allait au mariage avec Emmanuel, j'ai décidé que je devrais aussi m'y présenter accompagné, pour ne pas avoir l'air du gars qui n'a trouvé personne et qui reste seul à table pendant que tout le monde danse. J'ai aussitôt décidé que c'était la belle, la magnifique, la sublime Élodie qui serait ma cavalière au mariage de mon père. Tout est donc réglé. Ou presque. Il ne me reste qu'à demander à Élodie… Rien que ça. Une peccadille. Un détail. Un petit rien du tout, quoi. POUR

N'IMPORTE QUI, SAUF MOI !!! Il ne faudrait pas oublier que moi, Lorian Loubier, je suis le garçon le plus maladroit de la terre… Comment pourrais-je inviter une fille comme Élodie ? Mais surtout, comment pourrait-elle accepter cette invitation ?

Bon, c'est vrai, j'ai vécu des moments magiques avec Élodie, à Old Orchard Beach, il y a quelques semaines. Même que… même qu'elle m'a donné mon premier *vrai* baiser. Ce n'est pas rien ! Mais depuis, nous avons recommencé l'école et je ne lui ai pas adressé la parole. Pas une phrase. Pas un seul mot ni même une syllabe. Je l'ai bien croisée à quelques reprises depuis le début des cours, mais je n'ai pas osé l'aborder. Pourtant, je crois qu'elle me sourit quand elle me voit. Je dis « je crois » parce que je ne peux pas en être sûr, étant donné que, dès que je la vois, je baisse les yeux, je deviens rouge phosphorescent et je quitte la pièce en courant. Heureusement que nous n'avons aucun cours ensemble, mes professeurs se poseraient bien des questions !

Mon acolyte me fait revenir sur terre et met un terme à mes réflexions en me donnant un coup de coude.

– Lorian ? Youhou, tu es là ?

– Je ne suis pas prêt, Mégane.

– Tu ne le seras jamais, Lorian. Je te connais. C'est pour ça qu'il faut foncer. Comme quand on enlève un pansement. On donne un grand coup, vite vite, et après c'est fait !

– Mais… mais…

Je n'ai pas le temps d'ajouter le moindre mot. L'autobus est arrivé dans la cour d'école. Sitôt qu'on en descend,

qui passe devant moi et m'adresse le plus joli sourire du monde ? Élodie, bien sûr ! Je fais semblant de ne pas la voir, mais Mégane me pousse vers elle en criant :

–Élodie !

–Oui ? fait Élodie en se retournant vers nous.

Je ne dis rien. Je fixe mes souliers comme si je n'avais jamais rien vu d'aussi intéressant. Je pense qu'Élodie est beaucoup trop belle pour moi. Je pense que je ne me suis pas brossé les dents ce matin et que je dois sentir le beurre d'arachide à deux kilomètres à la ronde. Je pense que je ne serai jamais capable de lui adresser la parole.

–Lorian a quelque chose à te demander, insiste Mégane, en me poussant dans le dos de plus belle.

–Oui ? dit de nouveau Élodie, très gentiment, en s'approchant de moi.

Alerte ! Alerte ! Beurre d'arachide en action ! Reculez ! Mais non, Élodie ne bouge pas d'un centimètre. Alors, pour la protéger des radiations, je mets une main devant ma bouche, j'esquisse le sourire le plus niais du monde et je lance d'une traite, sans même reprendre mon souffle, quelque chose qui ressemble à :

—Eh bien, je… euh… mfff… voudrais-tu… aefedemanflglgl… mariage ?

J'avale ma salive avec peine. Élodie me regarde d'un air perplexe. Ça y est, elle va refuser. J'en étais sûr ! Quelle idée ridicule ! Je n'aurais jamais dû l'inviter. Je tente de chercher un peu de soutien du côté de la petite Mégane mais, complètement découragée, cette dernière cache son visage entre ses mains. Après d'interminables secondes, Élodie me dit enfin :

—Excuse-moi, Lorian, mais je n'ai rien compris. Pourrais-tu répéter ?

Ciel ! Quel cauchemar ! Moi qui ai eu

besoin de tout mon courage pour y arriver… Je prends une grande inspiration, je replace soigneusement ma main devant ma bouche et je me lance :

— Je… euh… veux-tu… aefedeman-flglgl… mariage… glupifiglfm… avec moi ?

Élodie me regarde toujours comme si ce que je disais n'était pas clair. Elle ne veut rien savoir, c'est évident. Je devrais tourner les talons, quitter l'école, faire mes bagages, fuir cette ville, m'établir ailleurs, sur un autre continent, et ne plus jamais revenir. Voilà. C'est ce qui serait le plus sage. Où vais-je m'installer ? En Asie ? En Europe ? Élodie coupe court à mes réflexions en me demandant doucement :

— Lorian, est-ce que j'ai bien compris ?… Es-tu en train de me demander en mariage ?

Je fais de grands «non» de la tête, l'air horrifié, comme si c'était pour moi une idée affreuse. Terrible. Dégoûtante. La cloche sonne. Élodie me jette un regard de totale incompréhension et se précipite vers l'école en déclarant :

– Désolée, Lorian, je dois y aller ! On en reparlera plus tard, OK ?

D'un seul coup, je comprends que je l'ai peut-être vexée en lui faisant savoir si brutalement que je ne la demandais pas en mariage. J'ai agi comme si elle me rebutait. J'essaie de me rattraper ; je ne veux surtout pas faire de peine à Élodie, la plus belle fille de tout le quartier, de toute la province, de tout le globe terrestre ! Je m'élance derrière elle en criant :

– Élodie ! Ce n'est pas ce que je voulais dire ! Bien sûr que je veux me

marier avec toi ! N'importe quand !
Aujourd'hui, si tu veux !

Elle me lance un sourire affreusement gêné et s'engouffre dans l'école. Dans la cour, tout le monde me regarde comme si j'étais un extraterrestre. La tête basse, je rejoins Mégane, qui m'accueille en déclarant :

— Je comprends mieux ce que tu voulais dire par : « Je ne suis pas prêt »…

Voyant ma détresse, mon amie me prend par les épaules, m'entraîne vers l'école.

— Allez, viens, ce n'est pas si grave. On trouvera bien une autre approche.

Je demande d'une petite voix misérable :

— Tu penses ?

Elle hésite quelques secondes, se concentre, n'ose pas répondre tout de suite, comme si elle repassait dans son esprit les images de la scène d'horreur à laquelle elle vient d'assister. Puis elle dit enfin en secouant la tête :

—Oui, je pense. Mais je n'ai pas dit que ce serait facile, par contre…

Chapitre 5

Deux heures déjà que je suis assis dans ma chambre à essayer d'écrire une lettre à Élodie. Car, comme dit mon père, j'ai bien réfléchi et j'en suis venu à la conclusion que je ne pourrai jamais lui demander de m'accompagner de vive voix. Je suis bien trop timide pour ça. Dès qu'une fille me plaît, je deviens muet. Et encore plus maladroit que le reste du temps, ce qui n'est pas peu dire. La solution : lui écrire, bien sûr ! Mais ce n'est pas aussi simple que ça peut le paraître. Il faut choisir les bons mots. Faire de jolies phrases. Être clair, précis, agréable à lire. Ouf! rien de bien naturel chez moi!

Le sol de ma chambre est recouvert de feuilles chiffonnées. Ce sont les brouillons de ma lettre. Mais enfin, au bout de trois heures d'efforts surhumains, j'y suis arrivé. Je m'applique et signe ma demande de ma plus belle écriture. Voilà ce que ça donne:

« Élodie, veux-tu m'accompagner au mariage de mon père? Lorian »

Ce fut long, mais ça en valait le coup. Je ne peux pas imaginer plus clair et précis que ça. Ravi, je relis la lettre plusieurs fois. Je sursaute quand la porte de ma chambre s'ouvre.

– Comment ça va, Lorian? demande mon père.

– Bien, merci.

– Ça avance, les devoirs?

– Oui, j'ai fini.

– Tu as travaillé longtemps. C'était difficile ?

– Tu ne peux pas imaginer, papa !

Mon père s'assoit sur mon lit, un large sourire sur les lèvres.

– Lorian, je veux que tu saches que, malgré l'incident des invitations, je ne suis pas fâché. À part ta naissance, ce mariage est l'événement le plus important de ma vie, et je tiens à ce que tu y participes. Tu me suis ?

Je déteste quand mon psychanalyste de père se met à me parler comme si j'étais un de ses patients.

– Je désire vraiment te prouver que j'ai confiance en toi. Je t'ai trouvé une nouvelle tâche à accomplir. La plus importante.

J'ai un peu peur… En fait, en ce qui me concerne, je ne tiens pas tellement à m'impliquer dans le processus du mariage. Je suis plutôt content de voir à quel point mon père est heureux. Et Sarah est vraiment gentille, je dois l'avouer. Je sais que tout ira pour le mieux quand elle et Zoé s'installeront ici. Mégane n'arrête pas de me le dire, mon père me le répète sans arrêt, j'en suis moi-même conscient. Mais je ne veux pas pour autant « m'impliquer dans les préparatifs », comme dit papa. Pas parce que je suis contre ce mariage. Simplement parce que je me connais bien… Depuis que je suis tout petit, j'arrive toujours à me plonger dans les pires situations en voulant bien faire. Méfiant, je demande à mon père :

– Il s'agit de quelle tâche ?

– Eh bien, explique papa, tu sais sans doute qu'un des éléments essentiels d'un mariage, celui qui attire le plus l'attention et dont tout le monde parle, est la robe de la mariée. Celle de Sarah est prête et j'aimerais… que tu ailles la chercher.

– Quoi ?! *Moi ?*

Ça y est. Mes gaffes à répétition, son amour pour Sarah, le mariage, tout ça, c'est trop d'émotions pour mon pauvre père. Il a perdu la raison.

– Mais oui, répond-il tout à fait calmement.

– Tu en es sûr ?

– Mais oui, continue papa.

– Tu veux que moi, Lorian Loubier, j'aille chercher la robe de mariée de Sarah tout seul ?

– Mais… euh… presque, déclare papa.

Presque ? Comment peut-on aller chercher quelque chose *presque* seul ?

Je répète :

– Presque ?

– Hum hum…

– Ah bon ?

– En fait, précise mon père, tu irais avec Zoé…

– Ah oui…

– Et avec Sarah, conclut papa.

– Tiens donc.

– Tu sais, ajoute-t-il, tu es très chanceux. Même moi, je n'ai pas vu la robe. On dit que ça porte malheur si le marié la voit avant le grand jour. Je ne sais même pas où Sarah l'a achetée. Et toi, tu vas la découvrir tout de suite, tu te rends compte ?

Je réponds de mon ton le plus enthousiaste possible :

– WOW ! Attends que je dise ça aux gars de ma classe, à l'école !

Papa se contente de sourire d'un air

rayonnant. Je pense qu'il ne s'est même pas rendu compte que je faisais de l'ironie. Il est vraiment sur son petit nuage… Je demande :

— Et tu veux que j'aille… ou plutôt qu'*on* aille la chercher quand ?

— Sarah et Zoé devraient arriver d'une minute à l'autre, grommelle papa à toute vitesse avant de quitter ma chambre.

C'est bon de savoir qu'on nous consulte et qu'on attend notre approbation avant de nous imposer une activité, pas vrai ? Pour ceux qui ne l'auraient pas compris, là aussi, je faisais de l'ironie.

• • •

La soirée avec Zoé et Sarah est géniale. D'abord, nous allons manger dans un restaurant vietnamien où tout est délicieux. Sarah essaie de nous montrer à manger avec des baguettes. Je fais de mon mieux, j'agite mes baguettes en tous sens. Zoé rit tellement en me voyant projeter les nouilles de mon assiette sur toutes les tables autour de nous qu'elle en pleure. Ensuite, nous allons manger une ÉNORME crème glacée italienne en marchant dans une des jolies rues de la vieille ville. Tout est facile, agréable. La vie de famille me plaît plutôt, je l'avoue! Pourvu que les choses ne changent pas après le mariage. Que Zoé et Sarah ne se mettent pas à m'appeler Cendrier! Honnêtement, je n'y crois pas du tout. Mais bon, reste tout de même sur tes gardes, Super-Lorian!

Nous voilà maintenant devant une boutique chic où plusieurs robes de mariée sont exposées dans une vitrine blanche et argentée. Sarah nous entraîne à l'intérieur avec un sourire complice. C'est l'heure ! J'avais beau me moquer un peu de papa tout à l'heure, je me sens quand même privilégié de voir la robe avant tout le

monde. Sarah parle un instant à une dame, qui file vers l'arrière de la boutique et en revient les bras chargés d'une montagne de tissu blanc. De la dentelle ? De la soie ? Du tulle ? Je ne sais pas exactement ce que c'est, mais il y a des tonnes d'étages sur cette robe. Zoé s'exclame :

– Va l'essayer, maman, vite !

Sarah ressort de la cabine quelques minutes plus tard. Elle est… superbe. C'est vraiment magique. J'ai beau ne pas trop m'intéresser aux robes, celle-ci est digne d'une princesse, visiblement. Zoé regarde sa mère, émue, les yeux pleins de larmes.

– Tu es tellement belle !…

Sarah ouvre les bras et sa fille s'y précipite. Puis, toutes deux se tournent vers moi en me tendant les bras. Je me précipite vers elles et on se fait un gros câlin familial, rien de moins. C'est tellement intense comme moment que je me demande comment la vendeuse fait pour ne pas venir nous étreindre, elle aussi. Elle est faite forte, sûrement.

Sarah se dépêche d'enlever sa robe, pour ne pas la froisser ou la tacher. Pendant ce temps, la vendeuse nous parle des diverses traditions reliées au mariage. Elle répète notamment ce que mon père me disait un peu plus tôt :

— Vous savez, c'est très important que le marié ne voie pas la robe avant la cérémonie. On dit que c'est du malheur à coup sûr, sinon. Tenez le futur mari loin de la robe ! Considérez cela comme votre mission.

Oh là là ! Cette dame sait comment parler aux garçons de mon âge ! Me voilà chargé d'une mission. Attention, Super-Lorian, au travail! La vendeuse emballe la robe de mariée dans plusieurs épaisseurs de plastique transparent. Sarah me dit sur un ton solennel:

—Prends-la, Lorian. Je te la confie. Apporte-la à la voiture.

Les battements de mon cœur s'accélèrent. Je saisis gravement la robe et je sors. Elle est immense. Plus grande que moi. Je vois à peine où je mets les pieds. Sarah passe devant moi pour déverrouiller la porte de la voiture. Soudain, je tourne la tête pour respirer un peu en dehors des mètres de tissu qui me recouvrent et qui vois-je, sortant d'une boutique à quelques pas de moi? MON PÈRE!!! Les paroles de papa et de la vendeuse me reviennent en tête: s'il voit la robe, ça porte malheur! Vite, Super-Lorian, à toi d'agir! C'est ta mission, souviens-toi!

D'un geste rapide et décidé, je plonge vers la voiture de Sarah et j'ouvre la portière arrière. Je jette littéralement la robe sur le siège et je referme la portière. Tout ça en trois secondes. Trois secondes à peine pour que… CATASTROPHE! j'entends un «crrrac» court et déchirant. Papa s'éloigne sur le trottoir, en nous tournant le dos, inconscient de ce drame. Je baisse les yeux. À mes pieds se trouve un morceau de tulle. Ou de soie. Ou de dentelle. En tout cas, un morceau de tissu blanc arraché de la robe au moment où j'ai refermé la portière dessus. Tout ça pour que mon père ne voie pas la fameuse robe… La vendeuse a dû oublier de nous dire que si le fils du marié voit la robe, ça porte encore plus malheur ! J'ai tout gâché… Comment est-ce que je peux me retrouver encore au cœur d'une situation pareille ? Est-ce parce que je m'appelle Lorian Loubier ? Que je suis gaucher ? Que je suis fils unique d'un père psychanalyste qui m'a élevé seul en m'apposant continuellement des étiquettes ? Est-ce à cause de l'ensemble de ces réponses ?

Je monte dans la voiture, enseveli sous les mètres de tissu blanc. Devant, Sarah et Zoé ont beau répéter, pour tenter de me consoler, que ce n'est pas si grave, je vois bien qu'elles ont les yeux rouges et qu'elles se retiennent pour ne pas pleurer. Comme moi.

Chapitre 6

Voilà. On y est. Le jour J. Le grand événement. Mais oui, en dépit de toutes mes bêtises, on a réussi à se rendre au mariage. Sarah n'a même pas décidé de quitter mon père malgré l'histoire des invitations retournées et la robe déchirée. Une sainte femme, c'est certain. Bien décidé à me faire pardonner, j'ai d'ailleurs préparé non pas UNE mais DEUX surprises pour les mariés. Rien de moins ! Le cœur battant, j'attends que ma belle-mère arrive à l'église. Papa fait déjà les cent pas sur le parvis. Zoé est à mes côtés. Elle tient le bouquet de Sarah dans ses mains et doit le remettre à sa mère dès que celle-ci franchira la porte. C'est ma première surprise…

Ce matin, papa, tout fier de continuer à favoriser mon implication dans son mariage, m'a confié une nouvelle mission : aller chercher le bouquet de la mariée. Voici comment ça s'est passé. Je suis entré dans la boutique, j'ai transmis ma demande et la fleuriste est allée chercher, dans l'arrière-boutique, quelques fleurs de couleurs vives. Jolies, c'est vrai, mais toutes petites. Microscopiques. Immédiatement, je me suis dit : « Pauvres papa et Sarah ! Ils n'avaient plus d'argent, probablement, avec toutes les dépenses qu'entraîne un mariage… Ils ont décidé d'économiser sur les fleurs. Quel

bouquet minuscule ! Franchement !
C'est trop triste… » Ému, j'ai décidé de
faire une bonne action. Je suis revenu
à la maison, j'ai pris trente dollars
dans l'argent de poche que j'avais
accumulé et je suis retourné chez la
fleuriste acheter quelques autres fleurs,
beaucoup plus longues et voyantes,
pour les ajouter au bouquet. Ça m'a
coûté une fortune, c'est vrai, mais je
ne regrette rien. La mariée aura un
bouquet digne de sa robe !

Pendant que Sarah sort de la limou-
sine qui s'est immobilisée devant
l'église, Zoé me murmure :

– C'est étrange, je ne me rappelais
pas que le bouquet que maman avait
choisi était si gros…

Je souris d'un air satisfait sans répondre. Hé, hé ! Un si beau bouquet
grâce à moi !

–Je me demande si le fleuriste ne s'est pas trompé…, dit encore Zoé, qui est jolie, c'est vrai, mais bien moins que la superbe Élodie – à qui je n'ai pas encore osé remettre ma lettre, d'ailleurs.

J'ouvre la bouche pour expliquer à Zoé que non, ce n'est pas une erreur, c'est mon idée, quand elle continue :

–Maman est allergique à tellement de sortes de fleurs qu'elle a mis des heures à faire son choix pour le bouquet.

Je referme la bouche aussitôt. Catastrophe ! Quelqu'un peut-il me dire pourquoi chaque fois que je veux faire une bonne action, cela se retourne toujours contre moi ?

Ce n'est plus le temps de s'expliquer. De toute façon, que pourrais-je faire ? Arracher le bouquet des mains de Zoé et enlever les fleurs que j'y ai ajoutées? On va penser que je détruis le bouquet. On va me prendre pour un fou. Encore. Accablé, je soupire. Il est trop tard. Tout le monde s'est tu dans l'église et la musique éclate. Sarah entre. Elle est vraiment belle, dans sa robe blanche… un peu plus courte à l'avant qu'à l'arrière. Ça ressemble à une queue de sirène et ça fait très chic, finalement. Ma belle-mère a des doigts de fée pour la couture. C'est presque mieux que la robe originale! Je n'en reviens pas! Sarah prend le bouquet que lui tend Zoé. Elle le regarde quelques secondes, semble un peu surprise, fronce les sourcils, mais retrouve vite son sourire heureux en se tournant vers moi pour me murmurer:

–Tu vois, Lorian, ce n'était pas très grave… C'est plus original et je risque moins de me prendre les pieds dedans !

Elle est GÉNIALE, ma belle-mère ! Je l'adore !

Dans l'église, tous se sont tournés vers nous. Je prends une longue inspiration. Pourvu que tout se passe bien, que je ne gâche rien. Nerveux, j'avance solennellement dans la grande allée, raide comme si on avait glissé un balai sous mon élégant veston noir, qui me fait un peu ressembler à un pingouin. Sachant bien que je n'avais pas trop envie de me déguiser de la sorte, mon père m'a fait un cadeau incroyable : il a déniché un nœud papillon rouge… orné d'étoiles dorées ! Exactement comme le collant de mon habit de superhéros ! Il est GÉNIAL, mon père. Je l'adore !

J'avance donc gravement dans l'allée, aux côtés de Zoé. Sur les bancs d'église ornés de grosses boucles argentées, je reconnais quelques collègues de papa et le docteur Jean Morin, celui que j'aime tant, qui vient parfois nous rendre visite à la maison. La petite Mégane est assise sur le banc derrière lui, les joues roses, le regard plein d'admiration. Car mon père a évidemment invité Mégane, mon inséparable amie, de même que ses parents. Un peu devant eux, Emmanuel m'adresse un signe de tête. Nous continuons d'avancer très lentement, Zoé et moi. Derrière nous, j'entends régulièrement des « Atchoum ! » Je me retourne discrètement. Sarah, au bras de son père, radieuse dans sa robe-sirène, a les yeux un peu rouges et enflés et ne peut s'empêcher d'éternuer, mais son sourire est si beau, son bonheur est si grand qu'on oublie tout le reste. Derrière elle, papa avance dignement. Voilà. C'est ma famille.

Nous arrivons à l'avant de l'église. La cérémonie se passe à merveille. Je n'ai jamais vu mon père si heureux. J'oublie toutes mes peurs. Je suis content, moi aussi… jusqu'à ce que le prêtre demande les anneaux. Du coup, mon cœur arrête de battre. Mon estomac se serre tellement que je n'arrive plus à respirer. De grosses gouttes de sueur roulent sur mes tempes. Ma gorge enfle, je ne peux plus avaler ma salive. En un éclair, je vois le petit écrin avec les bagues dedans posé sur la table, dans la pièce à l'arrière de l'église. Je l'y ai déposé quand Zoé et moi attendions les mariés. Que faire ? Puis-je traverser l'église en courant et revenir ? Dire : «Une minute, s'il vous

plaît, monsieur le curé » ? Mais je n'ai
pas à m'inquiéter plus longtemps.
Zoé, qui est une belle fille, vraiment,
même si on ne peut la comparer à la
sublime Élodie, me fait un clin d'œil
discret. Elle sort rapidement l'écrin du
sac à main minuscule qu'elle tient sous

son bras et le glisse dans ma main. Ouf! Je me remets à respirer! Elle est GÉNIALE, ma demi-sœur! Je l'adore!

La cérémonie tire à sa fin. Ma belle-mère continue d'éternuer un peu, mais maintenant qu'elle a déposé son bouquet, ça va mieux. Dans quelques instants, nous sortirons de l'église pour aller dans la salle où aura lieu le souper de noces. C'est là que ma deuxième surprise attend mon père et Sarah. Un cadeau de mariage bien spécial signé Lorian Loubier!

Chapitre 7

C'est l'heure ! La salle de réception est remplie d'invités élégants. Sur une longue table trône un gâteau de noces à trois étages. Un couple de petits mariés en plastique est solidement planté dans son crémage. Papa et Sarah semblent tellement heureux que j'ai peur que de petites ailes leur poussent dans le dos et qu'ils s'envolent directement au septième ciel. Je m'en vais aux toilettes. J'enlève mon veston, mon pantalon, ma chemise blanche et mon nœud papillon étoilé. Je les remplace par une camisole et un short. Je troque aussi mes souliers vernis pour des espadrilles. Non, je n'ai pas perdu la tête. Non, je ne m'apprête pas à faire une nouvelle bêtise. C'est simplement que j'ai décidé d'offrir aux nouveaux époux un cadeau bien spécial : une chorégraphie ! Pas faite par n'importe qui : conçue et exécutée par l'équipe de cheerleading de mon école, dont je fais partie depuis un an, et dont la capitaine n'est nulle autre qu'Élodie, la fille la plus belle du pays, de la planète, de tous les mondes connus et à découvrir. J'en ai parlé aux membres de l'équipe il y a deux semaines et tous ont été emballés. Et puis, c'est un moyen comme un autre d'avoir Élodie à mes côtés aujourd'hui, puisque je n'ai pas réussi à lui donner ma lettre lui demandant de m'accompagner au mariage de mon père…

Je sors des toilettes et croise quelques invités qui me jettent des regards étranges. C'est vrai que ma tenue détonne un peu, comparée à la leur ! La petite Mégane se précipite vers moi dès qu'elle me voit :

— Tout le monde est arrivé, Lorian ! J'ai dit aux *cheers* d'attendre près de la porte. J'irai les chercher quand tu seras prêt.

— C'est bon, tu peux y aller. Je vais adresser quelques mots aux invités pendant ce temps.

Mégane s'éloigne de quelques pas, puis se retourne et me lance :

— Ah oui, au fait, je me suis permis d'expliquer à Élodie ce que tu avais tenté de lui demander l'autre matin, à l'école…

Elle s'en va aussitôt. Ma gorge se serre d'émotion. Chère Mégane ! Elle est GÉNIALE, elle aussi ! Je l'adore !

Un peu nerveux, je me dirige vers l'avant de la salle. Plusieurs têtes se retournent avec stupéfaction en voyant le fils du marié vêtu de la sorte. Le responsable de la discomobile baisse la musique quand je m'empare du micro. Tout le monde se tait et me regarde. Du calme, Lorian ! C'est ton cadeau, il doit être réussi. Prends une grande inspiration et parle lentement, sans bafouiller.

– Bonsoir, tout le monde ! D'abord, je vous remercie d'être ici pour partager le bonheur de mon père et de Sar… euh… de belle-maman !

Quelques éclats de rire fusent. Encouragé, je continue :

– J'ai eu l'idée d'offrir aux nouveaux mariés une chorégraphie. S'il vous plaît, accueillez l'équipe de cheerleading de mon école !

J'entends des murmures, je perçois les mots « original », « touchant » et « sympathique ». Je suis aux anges. Et je ne suis pas le seul ! Ça y est, j'en suis sûr, maintenant : je devine des petits bouts d'aile derrière les visages euphoriques de papa et de Sarah.

Les cheerleaders font leur entrée sous des applaudissements enthousiastes, la belle Élodie en tête. Je tends un CD à l'animateur de la soirée et cours me placer parmi les six filles et les trois gars de mon équipe, devant la longue table garnie de cadeaux, de coupes de vin et du somptueux gâteau. Une musique rythmée s'élève. C'est l'une des chansons préférées de Sarah – j'avais demandé à Zoé d'enquêter pour moi ! Chacun de nous a bien appris les mouvements et nous donnons tout ce que nous pouvons. Notre entraîneure de cheerleading, une professeure d'éducation physique de l'école, nous a même aidés pour la chorégraphie, et le résultat est assez impressionnant. Je le vois bien sur les visages ébahis des invités. Tout va pour le mieux ! La danse se terminera bientôt… Le rythme change subitement et nous courons nous placer pour faire les pyramides finales. D'un côté, Luis et Alexandre, à quatre pattes, portent deux filles sur leur dos pendant qu'une troisième s'installe au sommet, sur le dos des deux autres filles, une jambe carrément levée au-dessus de la tête. C'est spectaculaire ! Même chose de notre côté. Raphaël et moi posons un genou au sol, l'autre jambe pliée. Deux des filles grimpent sur nos épaules, et Élodie monte à son

tour sur leurs épaules pour former le troisième étage de notre pyramide. Des cris fusent. On nous applaudit, on lance des bravos retentissants. Fier comme un paon, je lève la tête et je regarde Élodie. Je l'aime vraiment beaucoup… Je me demande ce qu'elle aurait dit si j'avais eu le courage de lui donner ma lettre. Comme si elle lisait dans mes pensées, Élodie plante soudain ses yeux dans les miens. Elle hoche doucement la tête pour dire oui. C'est vrai! Mégane lui a tout raconté! Ses lèvres s'arrondissent et me soufflent un baiser.

C'est trop pour moi! J'en ai carrément le souffle coupé. Je me mets à trembler. Je perds l'équilibre, mon genou ploie et je tombe sur le côté. Les filles au deuxième étage perdent évidemment aussi l'équilibre. Elles s'effondrent à leur tour… entraînant dans leur chute Élodie, qui bascule vers l'arrière… et agite les bras pour tenter de se raccrocher à quelqu'un. En un quart de seconde, je pressens la catastrophe. Je me précipite vers la belle, la rattrape juste à temps pour qu'elle ne heurte pas la table. Mais, déstabilisé lorsqu'elle tombe dans mes bras, je ne vois plus où je vais et je finis ma course… sur la longue table. À moitié couché dans le superbe gâteau de noces, qui n'a plus trois étages, maintenant, mais un seul, étalé sur la nappe. Quand je rouvre les yeux, je vois les mariés en plastique qui me sourient bêtement, à deux centimètres de mon nez. Je n'ose pas me relever. Rouge de honte, je dépose Élodie sur le sol. Si seulement je pouvais disparaître, être englouti par le gâteau et ne plus jamais revenir…

Le silence qui plane dans la salle est terrible. On se croirait davantage dans un salon funéraire qu'à un souper de mariage. Enfin, je lève les yeux vers mon père et Sarah. Ils doivent être dans une colère terrible… et avec raison. Mon père a aussi le regard fixé sur moi. Il semble plus inquiet que fâché.

– Personne n'est blessé ? demande-t-il.

Je fais non de la tête, affreusement gêné. À ses côtés, Sarah ouvre la bouche. Je m'attends presque à ce qu'elle se mette à hurler : « Cendrier ! Tu ne feras jamais rien de bien, pauvre garçon ! » Mais non. Elle déclare simplement :

– Eh bien, je suis certaine que personne n'oubliera jamais notre mariage ! Merci, Lorian ! La finale était plutôt extravagante, mais le reste était vraiment excellent !

Et elle éclate d'un rire joyeux et communicatif. Un long fou rire un peu nerveux s'élève dans toute la salle. Visiblement, Sarah a décidé que rien au monde ne gâcherait son bonheur. Tous viennent nous parler, nous féliciter, nous aider à ramasser les dégâts.

Je n'en reviens pas de la réaction de ma belle-mère ! Mon père et elle se dirigent droit vers moi.

– Ça a dû être beaucoup de travail, Lorian. Merci beaucoup !

– Tu es vraiment quelqu'un d'unique, Lorian, ajoute Sarah, en me prenant dans ses bras.

Mon père m'étreint à son tour. Enlacé par mon père et ma belle-mère, je ferme les paupières un instant. Je n'ai plus aucun doute. Je sais que personne ne m'appellera jamais Cendrier en me faisant travailler comme un esclave ! Quand j'ouvre les yeux, je vois Élodie s'approcher de moi timidement. Lorsque papa et Sarah s'éloignent, elle me prend la main sans rien dire. Son regard et son sourire suffisent. Je n'ai jamais été aussi heureux de m'appeler Lorian Loubier, d'être maladroit, c'est vrai, mais merveilleusement entouré. Je repense à tous les événements des dernières années, à mes rêveries à propos de Zoé, aux folles idées que nous avons eues, Wonder-Mégane et moi, pour sauver le monde, à ma rencontre avec Élodie… J'oublie les invitations ratées, la robe déchirée, le gâteau écrasé. Je ne sais pas si, dans la vraie vie, je réussirai un jour à être un superhéros, mais qui a la chance d'avoir autant de gens incroyables dans son entourage ? Je le dis sans aucune ironie : la vie est GÉNIALE. Je l'adore !

Martine Latulippe

Martine Latulippe n'a pas chômé
ces dernières années : elle a
notamment publié plus de vingt
romans jeunesse, dont la série
Lorian Loubier. Elle s'est beaucoup
attachée à son sympathique et
maladroit superhéros. La vie de
Lorian Loubier ne sera plus jamais la
même maintenant que son père
se marie. Celle de Martine Latulippe
non plus, puisque cette histoire
est la dernière de la série. Quoique,
avec Lorian Loubier, il ne faut
jamais dire jamais…

Visite notre site Internet pour en savoir plus
sur nos auteurs, nos illustrateurs et nos collections :
www.dominiqueetcompagnie.com

De la même auteure

Dans la collection Roman bleu
Lorian Loubier, superhéros
Lorian Loubier, grand justicier
Lorian Loubier - Appelez-moi docteur!
Une journée dans la vie de Lorian Loubier
Lorian Loubier, détective privé?
Prix de création littéraire Ville de
Québec-Salon international du livre
de Québec 2007

Dans la collection Roman rouge
Les orages d'Amélie-tout-court

Dans la collection Roman lime
Petit Thomas et monsieur Théo

Dans la collection Roman vert
La mémoire de mademoiselle Morgane

Dans la même collection

Achevé d'imprimer en juillet 2008
sur les presses de Imprimerie L'Empreinte inc.
à Saint-Laurent (Québec) – 74205